O GATO DE BOTAS

CLÁSSICOS ILUSTRADOS
✱✱ MAURICIO DE SOUSA ✱✱

QUANDO MORREU, UM MOLEIRO DEIXOU PARA SEUS TRÊS FILHOS UMA PEQUENA HERANÇA. O MAIS VELHO RECEBEU UM MOINHO; O SEGUNDO, UM JUMENTO E O MAIS NOVO, QUE ERA O MAIS TRABALHADOR, APENAS UM GATO.

O GATO, VENDO A TRISTEZA DO SEU NOVO DONO, POR TER RECEBIDO UMA HERANÇA TÃO PEQUENA, DISSE-LHE QUE MUDARIA A SUA SORTE SE O RAPAZ LHE DESSE UM SACO E UM PAR DE BOTAS.

OS PEDIDOS DO GATO FORAM ATENDIDOS. ELE CALÇOU AS BOTAS ANIMADAMENTE, COLOCOU UM POUCO DE FARELO E SERRALHA NO SACO E SAIU PELA ESTRADA.

NO MEIO DO CAMINHO, O GATO DEITOU NO CHÃO, COMO SE ESTIVESSE MORTO. LOGO DEPOIS, UM COELHO ENTROU NO SACO PARA COMER O FARELO E O GATO O PRENDEU.

O GATO CORREU ATÉ O PALÁCIO DO REI E ENTREGOU-LHE O COELHO, DIZENDO QUE AQUILO ERA UM PEQUENO PRESENTE DO MARQUÊS DE CARABÁS. O REI AGRADECEU.

EM OUTRA OCASIÃO, O GATO ESCONDEU-SE NUM CAMPO DE TRIGO E CAPTUROU DUAS PERDIZES. O REI RECEBEU COM PRAZER MAIS ESTE PRESENTE.

UM DIA, O GATO FICOU SABENDO QUE O REI IA FAZER UM PASSEIO PELAS REDONDEZAS E DISSE AO SEU AMO PARA IR ATÉ O RIO, TOMAR UM BOM BANHO.

QUANDO O REI E SUA FILHA PASSARAM EM SUA CARRUAGEM, O GATO COMEÇOU A GRITAR QUE O MARQUÊS DE CARABÁS ESTAVA SENDO ASSALTADO! AO OUVIR OS GRITOS, O REI ORDENOU À SUA ESCOLTA QUE FOSSE SOCORRER O MARQUÊS.

O GATO CONTOU AO REI QUE OS LADRÕES HAVIAM ROUBADO AS ROUPAS DO SEU AMO. ENTÃO O REI ORDENOU AOS SEUS PAJENS QUE FOSSEM BUSCAR BELOS TRAJES PARA O MARQUÊS DE CARABÁS.

O REI TAMBÉM INSISTIU PARA QUE O JOVEM SUBISSE EM SUA CARRUAGEM E PARTICIPASSE DO PASSEIO. ASSIM QUE OUVIU ISSO, O GATO SAIU CORRENDO NA FRENTE.

QUANDO ENCONTROU ALGUNS CAMPONESES NO CAMINHO, O GATO PEDIU QUE DISSESSEM AO REI QUE AQUELE CAMPO PERTENCIA AO MARQUÊS DE CARABÁS.
E ASSIM FOI DITO.

O GATO, MAIS À FRENTE, ENCONTROU UM GRUPO DE LAVRADORES E PEDIU QUE DISSESSEM QUE TODO AQUELE TRIGAL TAMBÉM PERTENCIA AO MARQUÊS DE CARABÁS. O REI FICOU ENCANTADO.

O GATO CHEGOU AO CASTELO DE UM OGRO E O DESAFIOU A SE TRANSFORMAR NUM LEÃO, O QUE FOI FEITO NUM PASSE DE MÁGICA. ENTÃO, O GATO DISSE QUE DIFÍCIL MESMO ERA VIRAR UM SIMPLES CAMUNDONGO.

IRRITADO, O OGRO SE TRANSFORMOU NUM CAMUNDONGO. O GATO, ENTÃO, PULOU SOBRE ELE E O COMEU. QUANDO O REI CHEGOU, O GATO DISSE QUE AQUELE CASTELO PERTENCIA AO SEU AMO.

ENCANTADO COM OS DOTES DO MARQUÊS, O REI OFERECEU-LHE A MÃO DE SUA LINDA FILHA. O JOVEM ACEITOU NA HORA. O GATO DE BOTAS TORNOU-SE UM NOBRE E JÁ NÃO CORRIA MAIS ATRÁS DE CAMUNDONGOS. A NÃO SER PARA SE DIVERTIR, É CLARO.